An Sclábhaí
Úrscéal grafach le
Colmán Ó Raghallaigh

Líníocht - Tomm Moore
Dathadóireacht - Michael McGrath
Litreoireacht - Diane O'Reilly
The Cartoon Saloon Ltd.

Do Phroinsias, le mórmheas i gcónaí.

An chéad chló 2001
© Cló Mhaigh Eo 2001

ISBN 1 899922 12 1

Foilsithe ag Cló Mhaigh Eo,
Clár Chlainne Mhuiris,
Co. Mhaigh Eo, Éire.
www.leabhar.com
094-71744 (Fón/Faics)

Dearadh: raydesign, Gaillimh raydes@iol.ie
Clóbhuailte in Éirinn ag Clodóirí Lurgan,
Indreabhán, Co. na Gaillimhe.

Faigheann Cló Mhaigh Eo tacaíocht ó
Bhord na Leabhar Gaeilge.

Aithníonn Cló Mhaigh Eo cúnamh
Ghlór Mhaigh Eo i bhforbairt an leabhair seo.

CLÓ MHAIGH EO

7

Mo chéad radharc ar Éirinn nó Hibernia mar a thugaimis uirthi.
Brat ceobhráin timpeall orainn agus lucht ceannaithe na sclábhaí ag feitheamh linn.
Ach cé seo? Fathach mór gránna mo mháistir nua!!!
"ARRGH!"
"Déanfaidh sé seo! Stócach breá follain, go deimhin! Seo, gabh i leith uait, a phrioslachain !"

SAOL EILE A BHÍ
ROMHAM ANSIN...
SAOL AN SCLÁBHAÍ
GAN DUINE NÁ DEORAÍ
LIOM AR SHLIABH LOM
MIS... ACH AN TÉ A
CHRUTHAIGH MÉ.

"SÉ AN TIARNA M'AOIRE..."
"...NÍ BHEIDH AON NÍ DE DHÍTH ORM."

"M'AOIRE!"

12

"Críost liom, Críost romham..."

"Críost i mo dhiaidh..."

"Críost os mo chionnsa
    agus Críost fúm."

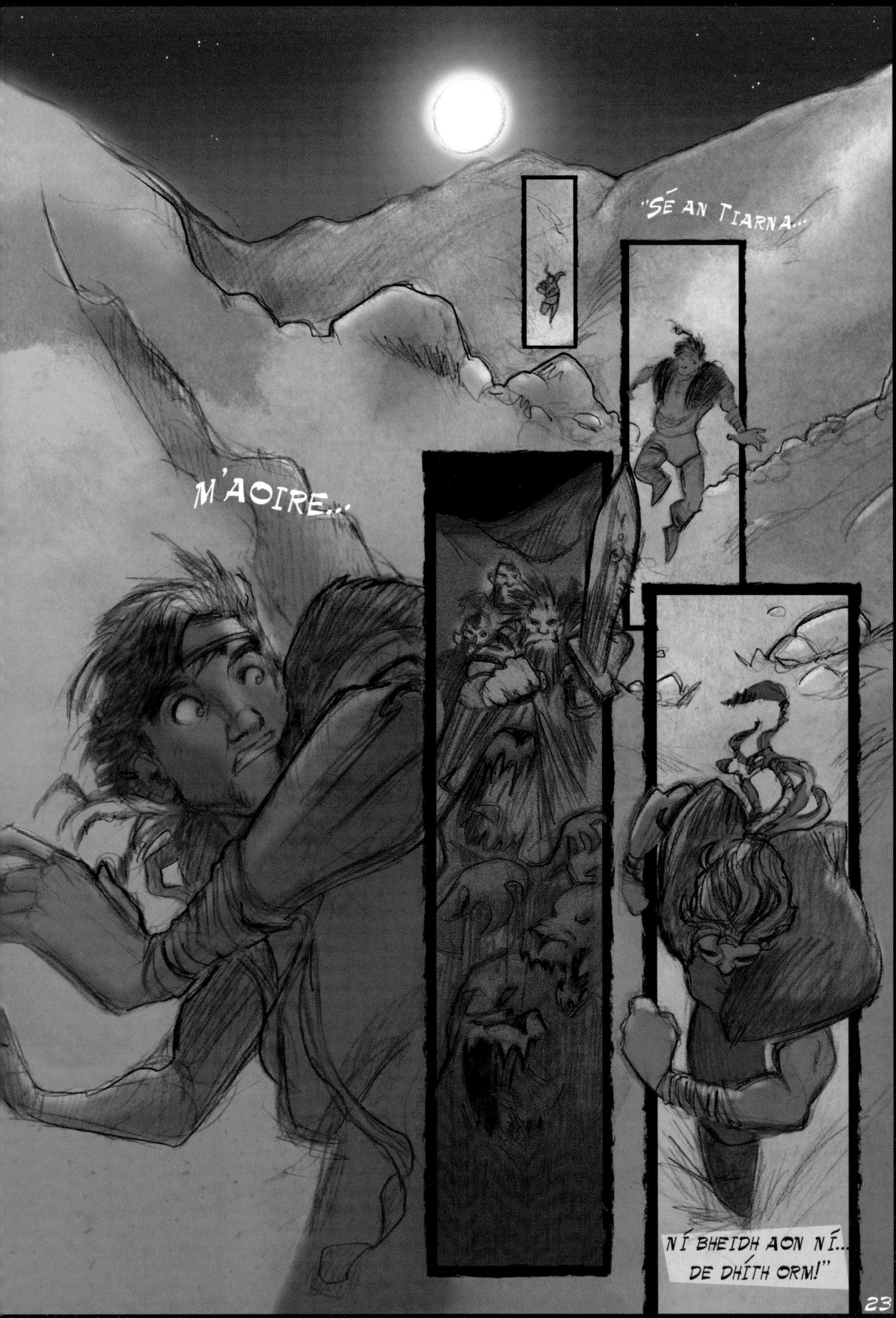
"SÉ AN TIARNA...
M'AOIRE...
NÍ BHEIDH AON NÍ...
DE DHÍTH ORM!"

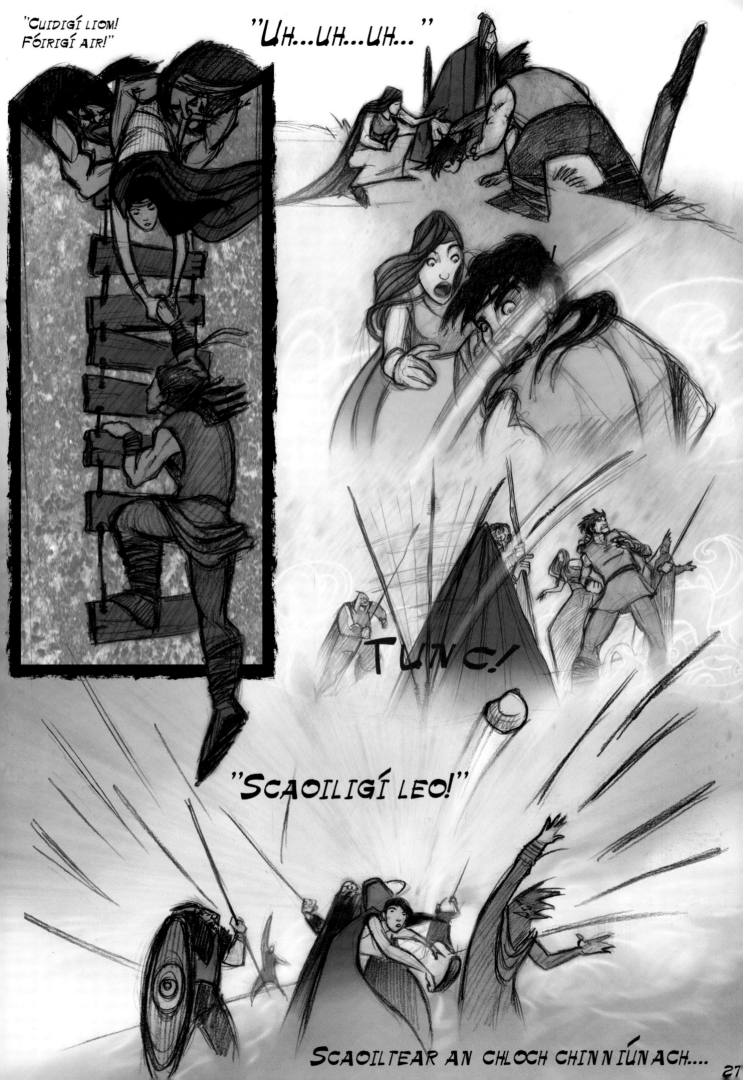

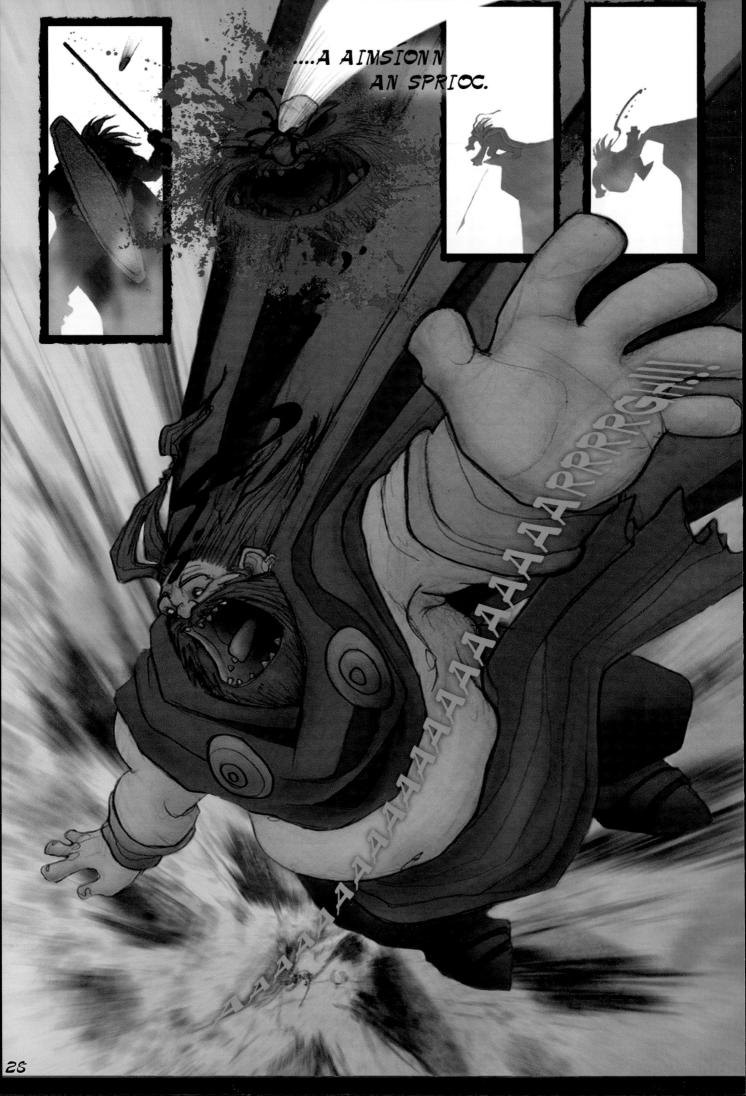

CRÍOCH